Cropetite

Cette histoire se passe il y a dix mille ans. Les hommes avaient déjà découvert le feu, et beaucoup d'autres choses, mais toujours pas la poupée…

ISBN 978-2-211-09096-4
Première édition dans la collection *lutin poche* : janvier 2008
© 2006, l'école des loisirs, Paris
Loi numéro 49 956 du 16 juillet 1949 sur les publications
destinées à la jeunesse : mars 2006
Dépôt légal : juillet 2017
Imprimé en France par Clerc SAS à Saint-Amand-Montrond

Michel Gay

Cropetite

les lutins de l'école des loisirs
11, rue de Sèvres, Paris 6ᵉ

C'est l'été. Cette année encore,
la terre et le soleil ont donné beaucoup de blé
et les Cro-Magnons fêtent la moisson.
Les grandes de la tribu se sont fait leurs plus belles coiffures.
Avec le blé qu'elles vont récolter, la tribu pourra manger
tout l'hiver de bonnes galettes dorées.

Cropetite est la plus petite des Cro-Magnons.
Elle est trop petite pour avoir une coiffure de grande,
et trop petite pour atteindre les épis de blé.

Par terre, Cropetite voit de belles galettes d'argile séchée.
Elle aussi va faire une grande récolte.

Cropetite aimerait bien porter sa récolte sur la tête, comme les grandes, mais c'est trop difficile.
Elle serre ses galettes contre elle pour ne surtout pas en perdre.

Les grandes sont déjà en train d'écraser les grains de blé pour faire de la farine. Cropetite veut apporter sa récolte, mais tout le monde lui fait les gros yeux :
« Pas de terre dans notre farine ! »
« Va-t'en ! » lui dit sa maman.

Dans son coin, Cropetite fait
comme les grandes. Elle concasse,
mouille, patouille, pétrit…
et ça fait une belle pâte molle.

Elle roule un gros boudin,
puis une boule bien ronde.
On dirait une tête.

Elle ajoute deux cailloux bleus,
et ça fait des yeux.
On dirait vraiment un bébé, maintenant.
Du bout de son doigt, Cropetite dessine
une bouche et des cheveux.
Le bébé pâte sourit, il a l'air content.

Maintenant Cropetite voudrait que son bébé sente
aussi bon que les galettes de farine quand elles cuisent.
Vite elle le dépose sur la grande pierre plate,
juste avant que le feu soit allumé.

Un peu plus tard,
la grand-mère de Cropetite
vient vérifier la cuisson.
Elle retourne une galette,
deux galettes, trois galettes et,
tout à coup, que voit-elle ?
De la boue avec la nourriture !
Elle se met très en colère et,
d'un coup de bâton,
pousse le bébé pâte dans le feu !
Cropetite reste cachée.
Elle sent qu'elle a fait
une grosse bêtise.

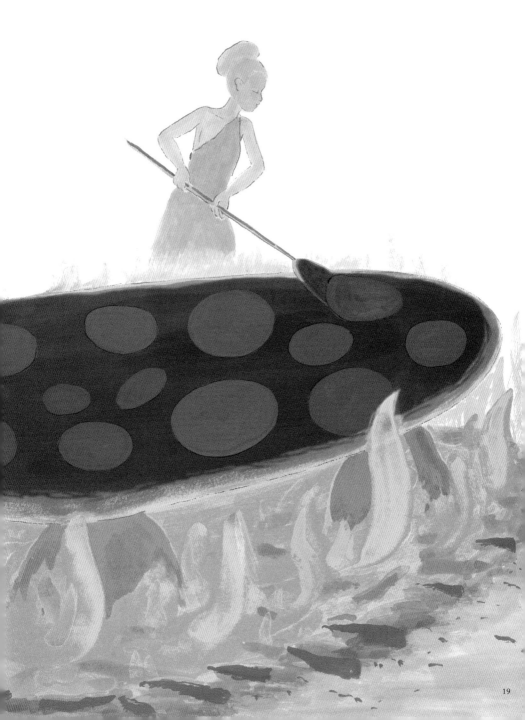

Quand le feu est éteint et que tout le monde dort,
Cropetite fouille la cendre pour retrouver son bébé.
C'est étrange, il est devenu tout lisse et dur.
Comme il est encore tout chaud, Cropetite
le serre contre elle pour se réchauffer.

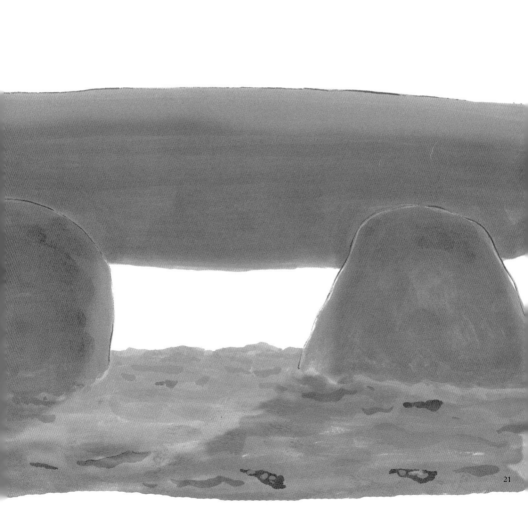

Cropetite a peur que les grandes lui prennent
son bébé et le jettent pour de bon.
Alors elle l'emmène dans sa cachette.
C'est une petite grotte dans la grotte,
si petite que seule Cropetite
peut y entrer.

Là, Cropetite fait la toilette de son bébé.
Elle le frotte avec de la paille
pour bien enlever la cendre.
Puis elle l'endort
en le tenant contre elle.

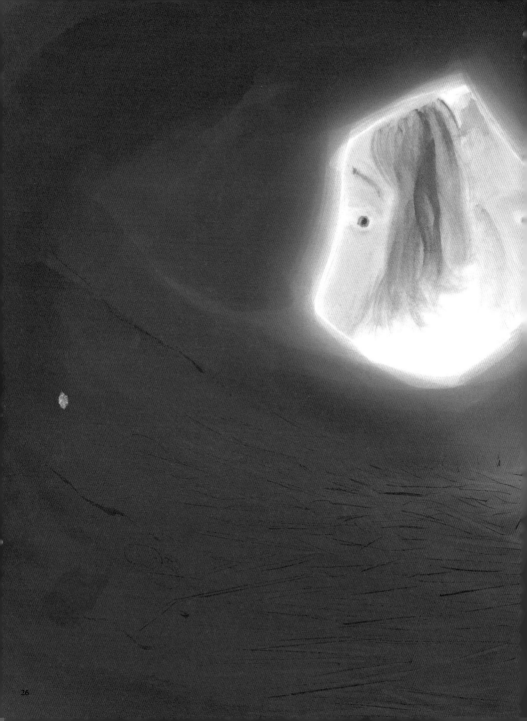

Au lever du jour, on se demande où est passée Cropetite.
Mais ses parents suivent les traces de ses petits pieds
sur le sol et découvrent la toute petite grotte.
Ils voient que Cropetite ne dort pas seule. Il y a un drôle
de bébé avec elle. Il a l'air éveillé mais il ne bouge pas.

Le papa de Cropetite n'a jamais vu ça.
Un bébé tout dur et qui ne pleure pas.
Il le sort délicatement de la petite grotte
pour le montrer à toute la tribu.

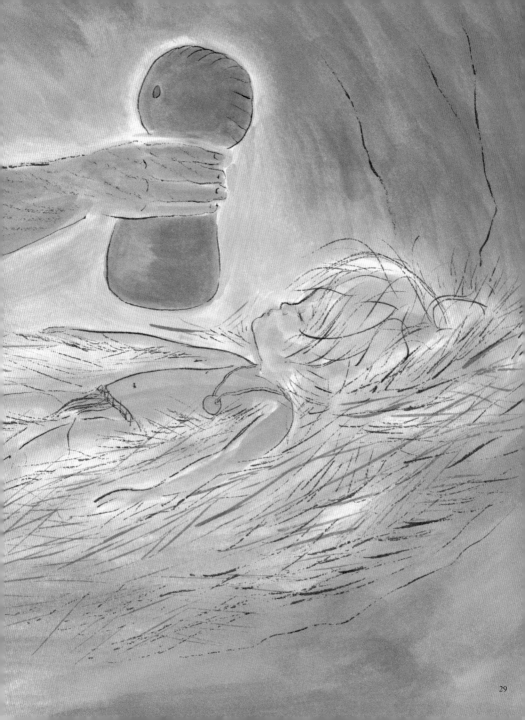

Une agitation inhabituelle réveille Cropetite.
Toute la tribu ne parle que de son bébé.
Chacun veut le toucher, le tenir et lui ajouter
quelque chose.
« Regarde », lui dit son papa. « Je lui ai fait des bras. »

Cropetite a bien expliqué à son papa
comment elle avait fait pour fabriquer le bébé.
C'est une grande découverte pour la tribu. Maintenant
les Cro-Magnons vont cuire beaucoup d'objets en terre
sous la grande pierre plate. Ils trouvent que Cropetite
n'est plus si petite. Pour la première fois, sa maman
lui fait une vraie coiffure de grande. Tout à l'heure,
Grand-mère tressera un petit lit de paille pour le bébé.